CONTENTS

MOBILE SUIT
GUNDAM
0083
REBELLION

나츠모토 마사토(夏元雅人)

원작　야다테 하지메(矢立肇)

토미노 요시유키(富野由悠季)

협력　선라이즈

콘셉트어드바이저　이마니시 타카시(今西隆志)

몬시아 중위님. 낙하산을 장비하고 강하하면 편하지 않았을까요?

잠꼬대는 잘 때나 해라, 키스!!

낙하산으로 꾸물대면 대공포가 구경만 하겠냐?

미노프스키 입자가 짙어서 눈으로 보고 쏠 테니까

맞지는 않을 거다

여… 역시 적이 공격할까요?

우라키!
넌 왜
조용한데?

강하
가속 때문에
겁먹었냐?

아뇨!!
괜찮습니다!!

알겠습니다!!

오줌…

기저귀를 지참하고
따라가겠습니다!!

흥!!

오줌
지리더라도
따라와라!!

헹!!
그걸 농담이라고
하냐

DICK ALLEN

태워줘서
고맙네

아닙니다
중위님!!

그런데,
범죄자 이송 중인데
괜찮겠습니까?

범죄자…?

군사 기밀
누설…?

알비온은
어떻게
됐지?

부웅

알비…온?

지온 잔당
스파이랍니다.
군사 기밀 누설로
검거했습니다

아는 얼굴인데…
아마 애너하임
엔지니어

출항했어?

아,
하얀 페가수스
급이라면
어젯밤에
출항했습니다

어제 들어온
군함 말이야

작전 행동에
들어갔나…

하지만 지금
긴급
임무라면…

보급도
중단하고
가버렸
습니다

2호기하고
관련된
일밖에…

전쟁이라도
난 것처럼
서두르던데요

DICK ALLEN

16

뒤에 있는
녀석하고
얘기 좀
해도 될까?

예?!
당연히
안 되죠

저거다···

어디 보자

아,
그러셔

당신들 얘기는
하나도 안 했어!!

그러니까
괜찮아…

좀
들어봐!!

그
연방 군함에는
손을 써놨어!!

……

손을
써?

그…
그래

끝났어!!

출발해!!

금세
연방군이
올 겁니다

그런데…
그 얘기가
사실이라면…

심각한 사태가
벌어질 텐데…

후우…

잘 들어라!!
고도 3km부터
부스터로
감속한다

타이밍
잘못 잡으면
땅바닥에
헤딩이야

너무
밟지
마라

그게
전장이야!!

알겠냐,
우라키!!

키스!!
그 기계가
고장나면
어쩔 거냐?

그건
억지죠

타이밍은
오토 시스템에
입력해
뒀는데요

전부
기계에
맡기는
게…

흥!!
사관학교에서나
가르칠 재미없는
대답이구만!!

상황 변화에
신속히
대처하라는
겁니까…?

중위님, 스페이스 노이드입니다!!

미안하다, 내가 좀 무식하거든!!

찾았다!! 우주인 놈들!!

오!!

센서 반응은 이게 전부입니다

이쪽도 자쿠 II 를 확인!!

이런 거리에선 안 맞습니다

좋았어, 우라키!!

한 방 갈겨라!!

MOBILE SUIT
GUNDAM
0083
REBELLION

MOBILE SUIT
GUNDAM
0083
REBELLION

죽진
않았지,
키스!!

대공 포화를
피하면서
감속하라고 했잖아,
멍청아!!

예…
예!!

음!!
우선
포술과와 정보 공유를!!
모니터에
표시해!!

함장님!!

지표면
해석
완료
했습니다!!

80% 확률로
HLV 발사 시설을
예측했습니다

알았다!!
포술장!!

휴즈
대위!!
들었지

잘
들었습니다
함장님!!

메가 입자포를
날리겠습니다!!

쿠

우
욱

문제가 없어?!
그럼 왜 빔이
빗나가는데!!

원인을
조사해!!

아…

알겠습니다!!

예!!

초탄이
빗나갔나…

고도를 낮추고
강습양륙 공격에
이행한다!!

더 이상
강하부대를
위험에 노출
시킬 수는 없다!!

대지
레이저포
원호
사격 준비

그런데
상공에서
적 전함이
강하하고
있습니다

예!!

HLV
발사구는
무사한가!!

킴벌라이트
기지의 전력을
총 동원해서
요격하면
된다!!

오라고
해라!!

각하는…

하고 싶은 말은 안다, 발 대위!!

정말 이걸로 괜찮으신 겁니까…?

이 3년 동안 우리는 다가올 그 때를 위해 전력을 온존했다

아니!! 반항 작전을 위해

증강시켰다고 해도 되겠지!!

그렇습니다!! 저희 손으로 적의 중추를 공격하기 위한 전력입니다!!

그런데 말이네… 발

그것까지 써버린다면, 저희의 3년은 대체 뭐가 되는 겁니까?!

각하!!

HLV가
발사되면
항복해라!!

발 대위

예!!
그렇습니다

내가 출격하면
자네가
이 기지의
책임자다

……

우리의 뜻은
'별가루 작전'이
이어받을
것이다!!

하지만
가만히 끝나진 않아,
적함을
격침시키겠다!!

……

착지 순간이
제일 공격하기
쉽다는 걸
잊지 마라

예!!

알겠습니다!!

알비온…?!

몬시아 중위 덕분에 적 포대를 정확히 노릴 수 있습니다

역시 베테랑 파일럿답네요

독단적인 행동이지만…

안 됩니다. 그 함은 작전행동 중이라서

자브로에서 보내는 통신 말고는 전부 차단됐습니다!!

한마디로 내가 가는 수밖에 없다는 거잖아!!

시간이 없어!!

탁

이 기지에서
빌려드릴 수
있는 건
'드래곤 플라이'
뿐입니다

젠장…!!
무장도 없이
전장에 뛰어들어야
하나…!!

알비온에
주포 얘기를…

꼭 전해야
한다…

으…

무모합니다,
앨런 중위님!!

저리
비켜!!

부
르
릉

부

아_앙

메가 입자포
공격은
빗나갔나보네

당신은
안 무서워?

이제 곧
지상전인데

……

53

포술과
사람들은
뭐 하는 거야?!

건담의
전투 중 데이터
수집만으로도
벅차

무서워할
틈도 없어

건담의 전투 데이터는 여기서만 확인할 수 있다고

니나!! 행거 덱은 위험하니까

안쪽 플로어로 이동해!!

싫어, 몰라!!

데이터는 나중에 확인해도 되잖아!!

넌 상관없는 민간인이야

몰라!! 이 전장에서 싸우고 있는

건담이라는 '병기'는 내가 만들었어

그런데 왜 관계가 없어!!

예?

바보야!! 전투가 격렬해지면

함교를 제일 먼저 노린다고!!

그럼 함교로 가든지?

거기서라면 상황 파악 하기도 쉽잖아

안 된다니까, 니나!!

그래…

함장님께 부탁해봐야겠다

우웅

산개해서
응전!!

뭐야?
왜 도망가
인마!!

쫓아가자,
키스!!
우라키!!

쿠웅

우우

......

자,
지금부터가
진짜다!!

기다려라,
우주인
놈들아!!

너무 깊이
쫓지 마라
몬시아!!

예!!

저도
잘 압니다!!

베이트와 아델은
알비온 주위를
경계!!

MOBILE SUIT
GUNDAM
0083
REBELLION

MOBILE SUIT
GUNDAM
0083
REBELLION

제20화 「열사(熱砂)의 공방전(1)」

적이
폐 갱도로
이동해서
위치를
예측할
수가
없습니다!!

어디서 온
공격인가?!

68

A소대 각기,
남은 탄약
20% 이하!!

너무
앞서가지
말라고
그렇게나
말했는데…

그
자식들…

안
된다!!
A소대를
죽게 둘 수는
없다!!

함장님!!
고도를 높여
주십시오!!

그러면
알비온의
수비가
허술해집니다!!

하지만
함장님!!

B소대의
베이트나
아델을
증원으로 보내!!

버닝
대위…

전력을
분산하는 건
위험합니다!!

적의 주력이
보이지 않는
상황에서

절대로 안 할 거예요!!

MS용 장비 컨테이너만 투하하면 돼

그래, 알았다

아니…

정보부로서 괜찮은지 얘길세

타냐의 조종 기술은 문제없습니다

괜찮겠나, 소령

아… 제 입장 말씀이십니까

컨테이너 실었으면 빨리 비켜요. 출발 합니다!!

설령 이 브리지가 적에게 파괴 당하더라도

아무런 행동도 안 할 겁니다

저 자신은 그 입장을 지킬 겁니다, 함장님

메가 입자의 미세 진동을 잡아주는 스태빌라이저가 문제인 것 같습니다만…

아직 불안정 합니다…

휴즈 대위!! 메가 입자포는 쓸 수 있나?!

함장님!! 포술과 입니다

72

지금 적이 HLV를 발사하면

저지할 수 없다!!

빨리 원인을 조사해!!

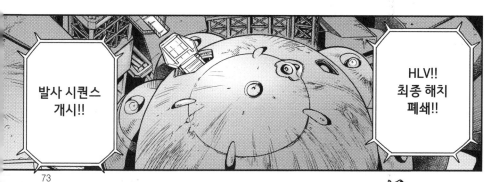

발사 시퀀스 개시!!

HLV!! 최종 해치 폐쇄!!

TIME SIGNAL
ALARM CHRONOGRAPH

57
1536

킴벌라이트 기지의 협력에 감사한다

가토 소령님. 곧 HLV를 발사합니다

무슨 일인가?

2호 터빈이 정지!! 현재 진화 중!!

예비 전원 작동 확인!!

여기는 발전 지구!!

다이아몬드
광산이었다고
해도
지금은
폐광이다 보니

설비를
고칠
자금까진
벌 수
없었습니다

전원 공급엔
문제
없습니다!!

걱정
마십시오
소령님!

진창에서
구르며
전력을 증강
시켰습니다

저희는
다가올
결기의 때를
위해

하지만
그것도
오늘까지입니다

전부 비터
소장님의
지휘하에

연방에
반기를
들기 위해!!

벌써 시작됐나…!!

들리나? 알비온!!

알비온!! 여기는 딕 앨런 중위!!

앨런?!

연결해!!

아군입니다. 통신을 요청하고 있습니다

접근하는 소형기 확인!!

……

제 불찰입니다, 함장님

메가 입자 집속의 반작용으로 폭발이 일어 난답니다

예! 모르고 주포를 연사하면

그러 니까…

주포의 문제는 오빌의 파괴공작 때문이었군

알겠 습니다, 함장님!!

휴즈! 들었지!! 놈이 조작한 시스템을 찾아내!!

헹,
드디어
왔구만

분명히
전해줬으니까

난
돌아갈
거야!!

뭐냐고…!!

전투는
안 한다고
했잖아!!

좋았어.
이제
적 기지에
침입해서

2호기랑
HLV를
때려부수자

중위님!!

2호기는
회수해야죠!!

그딴 소리 하다간
때려잡을 적도
놓친단 말이야!!

하지만…

중위님!!

이 소리는
뭐죠…?!

뭐야?

잠깐
기다리
세요!!

뭐야?
우리
들어오라고

문을
열어준
거냐?

쿠웅

안쪽에서…

뭔가가
나옵니다…

위잉 위잉

아뇨…
열원 반응이
다릅니다!!

HLV인가…?!

적 기지에
움직임이
보입니다!!

그럼 대체
뭔가?!

함장님

브리지에
들어와도
되는지
허가를…

미노프스키
크래프트…

시동!!

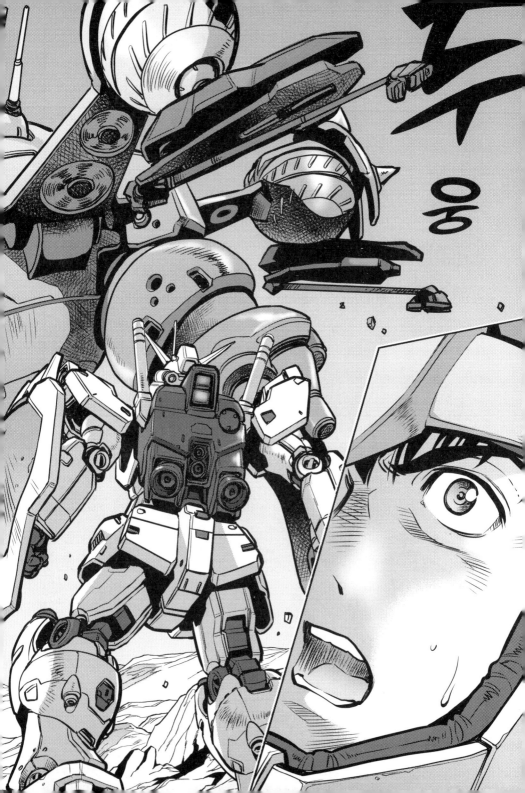

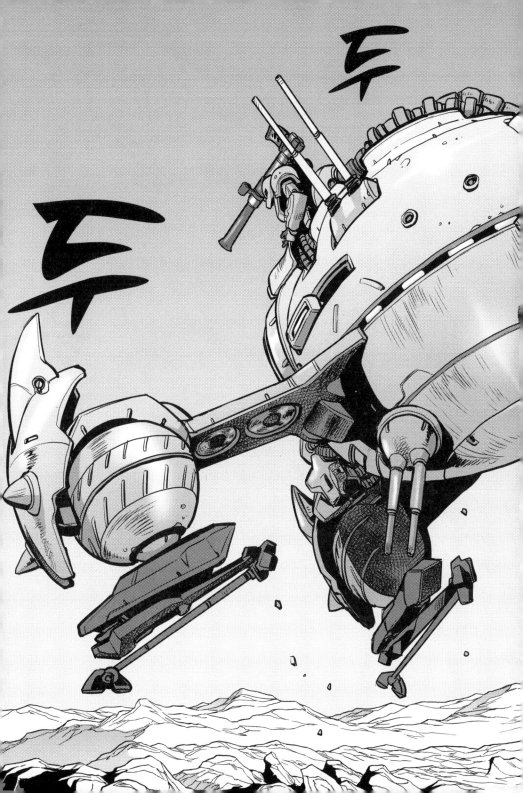

적의
기동 병기를
확인!!

모니터에
표시
합니다!!

제21화 「열사(熱砂)의 공방전(2)」

......

기종
식별
불능!!

MA 타입
입니다!!

90

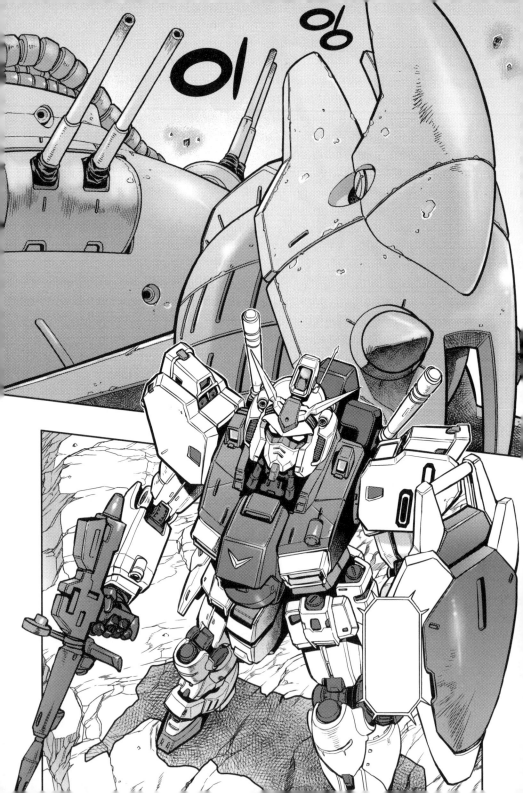

키스!!
우라키!!

적
증원이다,
산개해!!

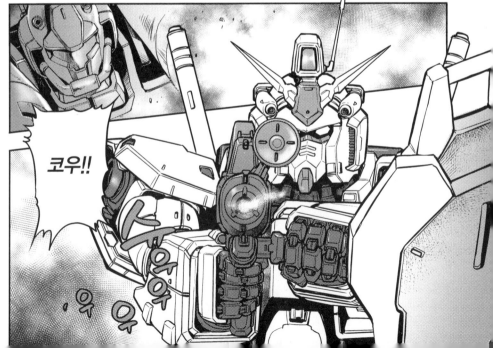

코우!!

신참 주제에 좀 하는데, 우라키!!

으아

…그나저나 이 자식들

저 MA 호위만 하고 있다

알비온 하나만 노리겠다 이건가

그런데 중위님!!

적의 움직임 자체가 2호기를 우주로 보내기 위한

양동이라는 뜻이겠죠!!

이 앞에
2호기가…

가토가
있다…

저는…
전진해야 한다고
생각합니다

알비온을
버려서라도…?!

……

남은 자에게는
복이 있다죠

뭐 하는
거야!!

몬시아
이 자식
!!

제네레이터 출력,
충분합니다!!

알았다!!

이 앗잠
리페어!!

미완성이기는 해도

반드시 맞추겠다…!!

……

털썩

허억…

허억…

피해
상황을
보고해!!

예?

일어나

내가…

만든…
병기?

MS가…
병기…

일어
나서
봐!!

자신이 만든
병기가 대체
어떤 것인지!!

그게
엔지니어의
의무야!!

내…
의무…

이 상황에서
고도를 높이면
되레
공격당한다!!

안 된다!!

함장님!!
고도를 높이고
상공에서 공격을!!

우우

산을
방패로 삼아서
공격을 피해!!

하지만…
가토가
이 앞에
있습니다

알비온을
잃는 것이
너한테
어떤 의미인지
생각해봐,

네 생각만 하다
중요한 걸
놓치지 마라!!

알비온을
잃는…

의미?

제22화 「쏘아진 화살」

HLV가
모습을
드러냈다는데

명령을
무시하고
가보지 그러냐?
우라키

......

가토하고
한 판 붙을

마지막
기회일지도
모르잖아

......

알비온으로
가겠습니다…

포술장!! 주포는 쓸 수 있겠나?!

앨런 중위의 정보 덕분에

수복하는 데 시간이 걸립니다

조작한 시스템은 찾아냈지만

질문에 대답하자면

쏠 수는 있습니다

거리 측정과 보정 계산을 전부 수동으로 해야 하지만

맞힐 수 있겠나?

마치 중세시대 포격술이군

해내야겠죠

훗

게다가 기회는 한 번뿐이겠죠

HLV를 포착한 뒤에는 부상해서 사격 범위를 확보해 주십시오

하지만 이렇게 산 뒤에 숨어서는 불가능 합니다

우라키!!

앨런
중위님….

너라면
저 MA의
약점을
알겠지!!

MA에 외부 전원을
공급하는 케이블을
파괴하면

침묵할
겁니다

앨런
중위님
…!!

다치셨
습니까?!

그래
맞다…

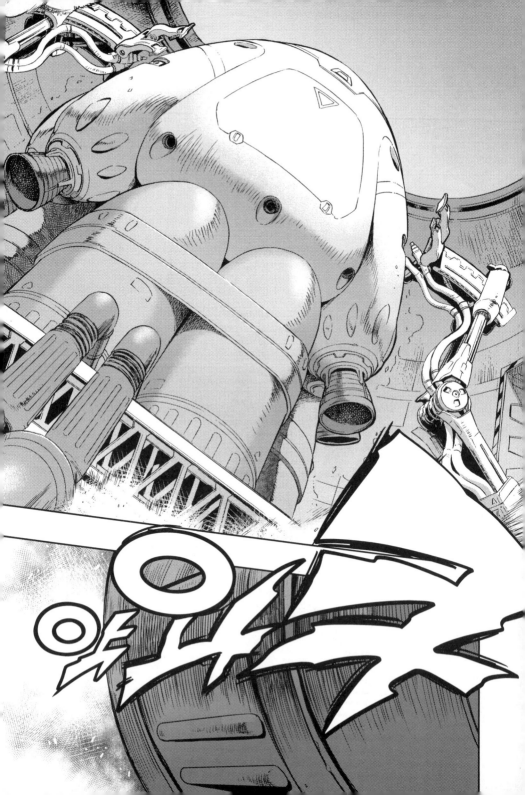

포술장!!
놓치지
마라!!

적 MA를
견제하면서

알비온을
주포 사격
각도까지
부상시켜라!!

보입니다,
함장님!!

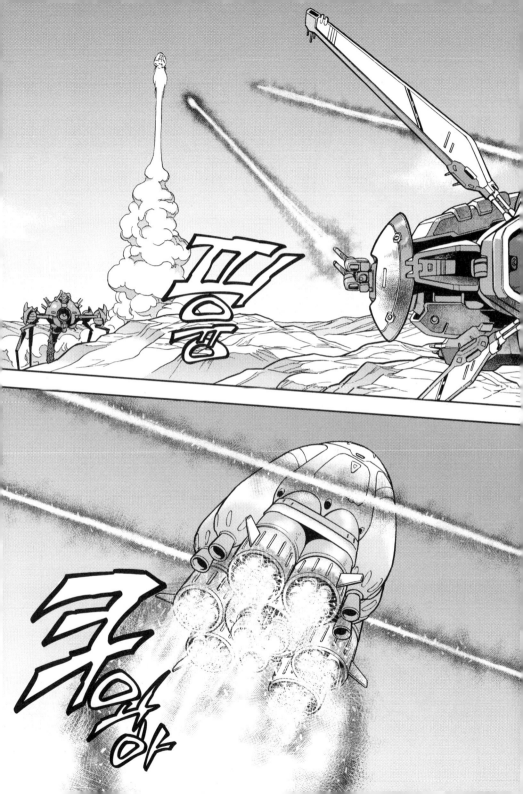

이겼다…!!

'별가루 작전'에 영광 있으라!!

큭…

우리의 뜻은…

가토 소령의 '별가루 작전'이 이어받는다!!

콰

욱…

큭….

……

훌륭한
최후
였습니다…

비터
각하…

각하의 최후의 지령을 전한다…

……

발 대위님, 지시를…

우리의 싸움은…

이것으로 종료한다…!!

그래…

앨런 중위님이…

죽었어?

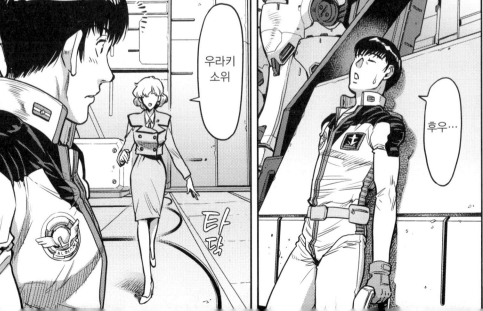

우라키
소위

후우…

다녀왔어…

응…

……

어서
오세요

뭐,
죽긴
싫으니까요

캐논에
처음 탔는데,
잘 했어

수고했어
키스 소위

흐아,
죽다
살았네

164

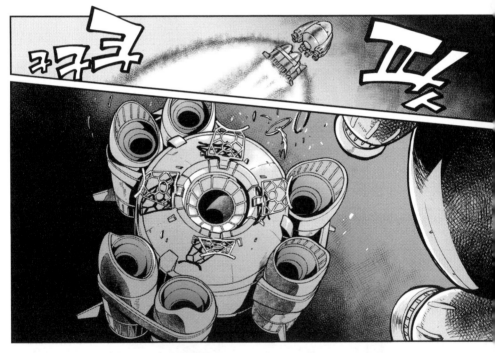

비터
소장님…

MOBILE SUIT
GUNDAM
0083
REBELLION

SOLDIER's DAY Ⅲ

지금까지
잘 싸워줬어

그라
브로

움직임이
멈췄다

뭍에
올라온
고래 꼴…

!!

기동전사 건담 0083 REBELLION ⑤

2018년 2월 28일 초판 1쇄 발행

만화 나츠모토 마사토
원작 토미노 요시유키 · 야타테 하지메
협력 선라이즈

펴낸이 원종우
펴낸곳 길찾기
주소 (13814) 경기도 과천시 뒷골1로 6, 3층
전화 02 3667 2653~4   팩스 02 3667 2655   메일 edit01@imageframe.kr   웹 http://imageframe.kr

ISBN 979-11-6085-372-8 07830 (5권)
가격 8,000원

MOBILE SUIT GUNDAM 0083 REBELLION 5